COLLECTION POÉSIE

ÉDOUARD GLISSANT

Pays rêvé, pays réel

suivi de

Fastes

et de

Les Grands Chaos

GALLIMARD

PAYS RÊVÉ,
PAYS RÉEL

1985

à merveille qui ne se dit
à liberté qui fleure en souches

Pays

Nous râlions à vos soutes le vent peuplait
Vos hautes lisses à compter
Nous épelions du vent la harde de nos cris
Vous qui savez lire l'entour des mots où nous errons
Désassemblés de nous qui vous crions nos sangs
Et sur ce pont hélez la trace de nos pieds

*

Louons à l'écume tant qu'aux lamantins
Esprits des profonds et des limons comment
Nous dessouchons l'Ouvert et empiétons sur tout Unique
Vous qui savez en nos ordures et nos sangs terrer l'écrit
Où se fendent en nuit tant de lézardes prophétiques

*

Tout un goudron pousse à l'entour des glycérias
Quel, ce pays qui s'efforce par semence et salaison
Ce doux parler déraisonnable, d'étoiles rousses
Entre roches d'eau et vert des profonds
Que navres-tu, noué de lins où moussent
Drus les aimants des Hauts et les purs diamants et quel
Mot pour toi perce, fait son sud

*

Nous humons ce pays qui tarit en nous, le pays
S'élonge d'un tel songe où pas une eau ne bruit
Hélons « Comme le vent, tout ainsi l'antan » et c'est cri
Roué de sucre, en parabole d'un moulin de ce pays

*

Nous là si pâmés que le petit jour
Qui rions à plats bords, boue de ravine nés
D'une autre flottaison
Nous épelons que nous venons au loin de vous où navigue
L'Unique, notre mal profond. Les coutelas
Fondent au clair des ateliers. Les mantous
Au gris des crabiers dessolent nos soifs
Le conte en arc cerne le déni

*

Des sables grésillent. Ceux qui prennent rang dans la mer
Ceux même qui fuyaient nos yeux
Là nous sourient avec douceur. Nous sommes leurs gentils
Nous mesurons dans la vague la trace de leurs orteils
Nous les séchons sous les oliviers de mer

*

Tel qui patiente dans la fiente et encombre nos songeries
Remonte en sang de mer mêlé aux rouilles des boulets
Nous fêlons le pays d'avant dans l'entrave du pays-ci
Nous l'amarrons à cette mangle qui feint mémoire
Remontons l'amour tari découvrons l'homme la femme
Unis d'un cep de fer aux anneaux forgés net. Nous rions
De ne savoir nouer l'à-tous-maux et l'épais maïs
Quand la terre d'hier débrosse en nous rocs et prurits

Pays d'avant

Au loin le pays sonnait. Dans l'éclaircie labourée
Entre les hauts plis d'arbres inconnaissables
Ce bruit, bronze battu, tombait en herbe
Nous étions deux, peuple de nuit et peuple de clairière
Pays d'avant
Que nous ne savions pas être l'Avant
Tout autant que l'errant ne connaît la rivière qui là
Le déchire d'une eau comme ronce

*

La porte du milieu ferrait l'orée. Pas un feuillage
Ne ventait au bleu d'où la reptation
Se retirait. Les murs friaient sous la main, l'ongle
Y striait des rivières en crue

*

Savions-nous que l'éperon surgit mortel au han
Des souques d'aviron
Nous le savons. L'étant insu ne dilate la mer
Tout indélimité s'évanouit aux portes
Nous sommes nés de ce tri d'eau de mer
Du seul imperceptible flanc de terre comme un maïs

*

Nous courons dans la foule avons crié aux chiens
Mangé la morue frite auprès des lumignons, la nuit
Nous coule au flanc les cris
Roulent dans la ravine des morts
Nous n'avons drap pour nous lever sur l'algue
Irrémédiable et nous hélons avec les agoutis
Toutes les bêtes qui nous nagent au cœur

*

Laoka pile le sable en lieu de mil
Et les Enofis tendent en feuillage la nuit
Milos doigts rouges tord le bronze bat les glaives
Son ventre luit comme d'une accouchée bientôt, Milos
Nous mande, alors entre les hauts de branches lève
Droit sous sa main notre mère la lune

*

Dans la troupe des enfants qui touchent au front l'Aveugle
Sonnant en force ils chantent le Ho-a, un seul
Tremble de cet arbre et fait de l'ombre sur la place
Ils courent les mille trente pas, des murailles d'ocre
Aux palissades à vautours, ils ont
Armé midi de sa racine, les doigts ouverts
Un seul mourra d'empan de mer

*

Tels ces enfants tournent autour de l'épieu
Rencontrent leur âge
S'égaillent nus parmi le métal blanc
Soudain froids de savoir ils butent, ce sont hommes secs
Ainsi nous nous figeons dans le souvenir
Tant que la graisse autour des bouches

*

De ne laurer le chant avec nos doigts de roche
Muets nous débordons de Celle-ci qui chavire
Nous la crions Ata-Eli, née de l'Énigme et de la Bête

*

L'Aveugle dont la main donne grâce de voir
Loin dans la mort l'hosanna des bateaux
Crie Ata-Eli la nue disgrâce de ma cécité ô Toute-en-nuit
Est de ne dessiner pas autour du globe de mes prunelles
Comme un enfant sertit son doigt dans l'orbite, tire
Et son œil pousse devant avec un crissement d'arbre
La patiente végétation de ton sourire
Elle, rivière blessée, le regarde crie en silence
Ils s'allient par des sens dont nous avons perdu l'usage

*

Temps de l'humide — terre unique — et de sorgo
L'Étant nubile dévole au feu ses îles
L'Être se boute aux proues de terre, il commande
Étonnés nous ramons à vif
Nous cognons contre l'Un souverain et frêle
En la Saison notre crier sans mire
Tré de mots dévalés de sécheresse en pile
Au ras des murs d'argile

*

Ô prends ce plaisir qui va pour finir et l'amasse
Auprès du jardin de la Première Épouse
Manguiers de carême ont fleuri de rosée
La mangue fond et c'est de menthe frissonnée
Nous nous sommes accroupis la sueur crêpait aux cheveux
Avons bu dans la coupe que tu dis tienne ô fille
Dans ta multiplicité avons convoqué l'Unique
Dormi béants près de la mare. Ô ma souffrance sur ton
    erre
Grandit le figuier-maudit. Le conteur
Ichneumon ainsi joute et dit

*

Nous parlons clair qui ne sommes poètes ni chanteurs
    fous
Notre voix fronce aux plis des bleus mahoganys
Nos contes s'éclaircissent de virer au van du soir
Les enfants les récitent d'un an à l'autre

*

Il n'est filiation ô conteur
Ni du nom à la terre ni du vent
À la cendre. Les fonds levèrent
Il lève ces fonds marins dans nos antans et nos faims

D'Ata-Eli, de l'aveugle
et d'Ichneumon

Boucan ho boucan
Elle est tarie et sans force
Ses racines balbutient un mot
Dérivé sur nos ravines
Elle crie nos ouragans ô mâts
Elle annonce sur l'étendue
Une fleur surprise une fleur
Génipa ô génipa

*

Elle crie c'est un balisier
Entends nous la supplions
N'approchez pas le boucan

*

Quand la solitude a grandi, j'invente des désolations
pour ensuite les apaiser
D'où parlez-vous ainsi ? Ah je m'égare, tel un troupeau
de bêtes-à-feu sauvages
Nous grandirons à mesure de l'aloès, autant secret que
glabre, et propice

*

Ci a choisi la nuit laissez
J'aime qui crie la nuit il prend
Devant lui la chose à fixer
Ci a choisi le feu des morts
Élus balan de sang d'où lève
Demain fugace plus qu'antan

*

Ne troublez pas mon rang de cette rumeur de terre,
ah laissez que s'enfuie ma journée, dans l'amitié de vous
    Corolle nous te prions
    N'approche pas le boucan

*

Tu es foudroyée sur ta lèvre. Quelle main pour te
retenir ? Du mitan de ton destin à ces rivages des Transparents ? Immobile dans ton tonnerre. Dans ta foudre
dans ton tonnerre. Ô mourante déjà dans le tomber de
ce jour. Ô immobile déjà

*

Les hautes barques nous émeuvent. Les barques basses nous assaillent. Du plus sourd de la mer, où j'entre maintenant ! Viens

Le soleil tombe dans le Morne. Viens voir le soleil baigner dans son ombre, doucement mourir

Chant d'Ichneumon

J'errais, au plus courroucé recoin. Des paons violets tremblaient sur nos mains. Ô faillir du regard, sous les heaumes d'osier. J'étais l'enterré vif qui navigue à la rivière nombrable. Vous n'aviez vent sur le visage, vos yeux brûlaient. Aujourd'hui nous nous désolons

*

Homme que tendresse a débouté. Comme un tamarinier des Indes, qui tarit. Ne lui sied que cette cendre, entre les yeux, d'un Ancêtre qui sans crier se brise

*

Ichneumon chante la dure plainte. Il ne voit pas Laoka
Elle commande aux Enofis elle désarme le Ho-a
Il touche au front l'Aveugle mais ses yeux n'osent pas
Or la terre se fend. De chaque côté l'Inconnu
Une fois en rivière que nous désolons et une fois
En réalité qui ne se mange pas

*

   Ainsi renonçons-nous à bien plus que tarir. Nous
sommes horde en chaque rire enracinés. Nous courons la
ville et osons la mer. L'eau rêche nous lie. Je vous vois
déserte toute vêtue de nos lointains

*

Ô les forêts sont à feu possibles. Nous te suivons, nous te suivons plus haut que hauts de brousse. Feulements d'antan nous lèvent parmi vous

*

L'eau de terre a suinté de leurs doigts déchirés. Ils ont guetté du côté des mornes, mais la pluie de sables ne tournait pas. Ils demandent. Qui nous a mis cette couronne sur le front ? Cette couronne de soleils fous

*

Ne soyez pas les mendiants de l'Univers
Quand les tambours établissent le dénouement

Pour Laoka

Tu es l'autre raison, qui chemine au-dedans, où les boues
Sont rouges de nos cris et la graisse sur les cheveux cille
Tu es le goût caché que nous donnons à nos mots
Dans la nuit quand la paille bouge le bambou craque
Tu es renoncement, à tout levant ô renoncée
Nous te repoussons dans l'étroit de nos tempes tu es
Océan où brassés de fer nous posons
L'algue fragile de nos souffles

*

En ce qui passe ému semis et lasse
Nous te vouons nos yeux
Le cuivre battu monte à ton front tes chevilles vantent
Tu es la femme qui navigue, un enfant mort au sein
Tu es ce peuple, il le faut, qui gravit et son souffle
S'alourdit aux ravines où ne croît que notre trace
Tu es orgueil qui cède au cœur quand sur la Place
Ne roue plus que le sable où se récrit ta race

*

M'allant sur le songe avec les jeunes filles qui dament le
   fer
Je vois ce qui du jour se fond en cette palme
Fille de cuivre, lin du bronze, es-tu la transhumée
Qui du troupeau foule la trace ouvre l'espace
À tant d'oublis tant consumés
Je me constelle à cette absence que tu fais
D'un bout de bois un peu de feuille une criée
Mon chant au sud ouvre folie errée

*

Tu es douce à celui que tu éloignes parmi lui
Tel un sable trop chaud mêlé au sable de minuit
Et comme main d'antan qui referme la nuit sans bruit
Tu es douce à celui que tu désoles mais qui luit

*

La cloche du troupeau bat sur l'herbe rouge, les bêtes
Essaiment en bosses dans le hasard bleu
Il est des dieux qui volent par là-bas, nous les tuons
La terre rampe à ton front, te couronne d'un arbre allumé
Quelle, cette douleur à mi-hauteur des filaos cette douceur
Pour qui roule la natte et range l'appuie-tête loin du feu

*

Tu énonces comment partager le matin et où
Serrer ta nudité tu dénonces le lé
Où le feu chante qu'il te crée
Tu lances cœur laves coulée le sang rivé
Dans ce cyclone que tu fais

*

Nul ne sait que le chant naît de ce boucan où fond le
    cuivre
Milos doigts rouges chante d'une si fragile lumière
Plus dru que l'eau de lune écumée sur nous
Souffre-t-il autant de morts en chaque mot
Le conteur pousse un gros de bêtes et d'arômes devant
    lui
Et c'est Milos et Ichneumon dont la parole a délacé
Le souffrir du pays d'antan
De la ravine délitée du pays-ci

Chant de Thaël et de Mathieu

Quand l'acacia les a ornées
Dans l'eau une femme se désire en branches
Sa vie hèle sur la savane
Un homme très vieux ses jambes droites maigres
Plie des feuilles jaunies les amasse
À la neuvième plaie non celée
L'œil de ce dieu emplit le passé
Un enfant rond ses jambes rondes écartées
Entre le sable et la faim a crié son doigt
Deux poissons noirs sont éventrés sur treize roches
Nous apprenons l'aridité

*

   L'eau du baquet roule en nappées, l'enfant chavire en
l'eau de mare où trois crapauds lui ont parlé. Qu'il brosse
à pied blessé trois feuilles de menthe à chaud sur la plaie.
Il dort dans le conte bleu, où la feuille a sué son eau sur
la peau. L'enfant, ballant sous le seau

*

Ni cette roche qui à mon front grée un balan de mots
Non plus quel charpentier a taillé dans mes os
Ni quel chemin de zombis blancs d'éclair
Je ne sais plus dans quelle terre ni quelle mer

*

La rivière la mer en même temps nées
D'un seul volcan la rivière la mer
Nous donnent vie nous ôtent mémoire
L'air crie à la tôle être un oiseau fou
Il décapite les ombrées
Nous démarrons nos animaux
Nous fouillons aux boues du cyclone
Nos rêves nos serments cassés nos bois morts
Une mangouste fracassée
Il n'est d'eau à boire l'eau toute
S'amasse là en belle mémoire
Seul taureau quand chaviré seul ennemi

*

L'éclair brosse le Morne
La Dominique est loin avec son tourment
Cent morts nous viennent par les nuages
Nous n'épions rien de Grenade ô vents
Dans la clairière de nos mots
Nous crions l'Un qui chavire en tant
Nous allume d'un charvari

*

Parce que nous sommes insus
Nous coulons dans cette rivière
Des graviers marquent l'an aux sables
Une bête-longue file aux bambous

*

Parmi les taureaux un zébu veille il mord
L'odeur d'herbe est bleue il sommeille peut-être
Il fait troupeau de ce qui va paraître
Il ensemence dans la mangle vérité

*

Et l'homme qui est forêt dit Je ne suis pas Ichneumon
Ni un arbre ne m'est qui fait épieu sur une Place
Il dit Quel Enofi nous a couru dans l'âme
Quel aveugle disant nous a pris par la main
Nous n'osons pas que le Ho-a nous soit prière, feu marin

*

Lors le bon matin meurt où l'agouti s'entête
Sa patte droite est lacérée d'un épini
Ses yeux par mille cris ont labouré la crête
Éperdu, plus que mémoire désherbée

*

À roche ainsi ne crie rocher ni pour le feu l'été
La roche est accorée au cœur
Nous naviguons aux profondeurs
Ata-Eli haut songe d'âme
Te voici déhalée de notre antique chavirée
Tout un peuple de bois désaccordés du premier vœu

*

Nos aïeux tout du long couchés sur l'herbe à couresse,
    soigneusement
Nous dévirons au pays

Pour Mycéa

Ô terre, si c'est terre, ô toute-en-jour où nous sommes venus. Ô plongée dans l'éclat d'eau et la parole labourée. Vois que tes mots m'ont déhalé de ce long songe où tant de bleu à tant d'ocre s'est mis. Et vois que je descends de cette nuit, entends

*

Si la nuit te dépose au plus haut de la mer
N'offense en toi la mer par échouage des anciens dieux
Seules les fleurs savent comme on gravit l'éternité
Nous t'appelons terre blessée ô combien notre temps
Sera bref, ainsi l'eau dont on ne voit le lit
Chanson d'eau empilée sur l'eau du triste soir
Tu es douce à celui que tu éloignes de ta nuit
Tel un gravier trop lourd enfoui aux grèves de minuit
J'ai mené ma rame entre les îles je t'ai nommée
Loin avant que tu m'aies désigné pour asile et souffle
Je t'ai nommée Insaisissable et Toute-enfuie
Ton rire a séparé les eaux bleues des eaux inconnues

*

Je t'ai nommée Terre blessée, dont la fêlure n'est
gouvernable, et t'ai vêtue de mélopées dessouchées des
recoins d'hier
  Pilant poussière et dévalant mes mots jusqu'aux enclos
et poussant aux lisières les gris taureaux muets
  Je t'ai voué peuple de vent où tu chavires par silence
afin que terre tu me crées
  Quand tu lèves dans ta couleur, où c'est cratère à jamais
enfeuillé, visible dans l'avenir

*

J'écris en toi la musique de toute branche grave ou bleue
Nous éclairons de nos mots l'eau qui tremble
Nous avons froid de la même beauté
Le pays brin à brin a délacé cela qu'hier
Tu portais à charge sur ta rivière débordée
Ta main rameute ces rumeurs en nouveauté
Tu t'émerveilles de brûler plus que les vieux encens

*

Quand le bruit des bois tarit dans nos corps
Étonnés nous lisons cette aile de terre
Rouge, à l'ancrée de l'ombre et du silence
Nous veillons à cueillir en la fleur d'agave
La brûlure d'eau où nous posons les mains
Toi plus lointaine que l'acoma fou de lumière
Dans les bois où il acclame tout soleil et moi
Qui sans répit m'acharne de ce vent
Où j'ai conduit le passé farouche

*

L'eau du morne est plus grave
Où les rêves ne dérivent
Tout le vert tombe en nuit nue
Quelle feuille ose sa pétulance
Quels oiseaux rament et crient
Dru hélé de boues mon pays
Saison déracinée qui revient à sa source
Un vent rouge seul pousse haut sa fleur
Dans la houle qui n'a profondeur et toi
Parmi les frangipanes dénouée lassée
D'où mènes-tu ces mots que tu colores
D'un sang de terre sur l'écorce évanoui
Tu cries ta fixité à tout pays maudit
Est-ce ô navigatrice le souvenir

*

Plus triste que la nuit où l'agouti s'arrête
Sa patte droite est lacérée d'un épini
Au point où le jour vient il s'acasse et s'entête
Il lèche la blessure et referme la nuit
Ainsi je penche vers mes mots et les assemble
À la ventée où tu venais poser la tête
En ce silence auquel tu voues combien de fêtes
Ta veille ton souci ton rêve tes tempêtes
La volée où tu joues avec le malfini
Les éclats bleus du temps dont tu nous éclabousses
Alors les mots me font brûler mahogany
La ravine où je dors est un brasier qu'on souche
Le jour en cette nuit met la blessure qui nous fit

*

Je n'écris pas pour te surprendre mais pour vouer
mesure à ce plein d'impatience que le vent nomme ta
beauté. Lointaine, ciel d'argile, et vieux limon, réel

Et l'eau de mes mots coule, tant que roche l'arrête, où
je descends rivière parmi les lunes qui pavanent au rivage.
Là où ton sourire est de la couleur des sables, ta main
plus nue qu'un vœu prononcé en silence

*

Et n'est que cendre en brousses tassée
N'est qu'égarement où le ciel enfante
L'eau d'agave n'apaise pas la fleur timide
Les étoiles chantent d'un seul or qu'on n'entend
Au quatre-chemins où fut rouée la sève
À tant qui crient inspirés du vent
Je hèle inattendue errance
Tu sors de la parole, t'enfuis
Tu es pays d'avant donné en récompense
Invisibles nous conduisons la route
La terre seule comprend

Pays

Là où pays et vents sont de même eau intarissable
Devant qu'oiseaux eussent toué villes et bois
J'ai tendu haut ce linge dénudé, la voix de sel
Comme un limon sans fond ni diamant ni piège bleu

*

À cet empan où toute lave s'émerveille de geler
Devenant être, et elle prend parti d'un pur étant
Là où pays et sang se mêlèrent au demeurant
J'ai grandi dans l'armure où consumaient les treize vents

*

Ata-Eli vieux songe d'âme et nue
Où les autans si las s'énamourèrent
Nous avons pris main dans l'alphabet roué
Aux brumes de ces mots voilé le cri, éclaboussé
Le long cri des oiseaux précipités dans cette mer
Et nous avons aux mers plus d'écriture qu'il paraît
Yoles blessées où les lézardes s'évertuèrent

*

Comme ils scellaient aux planches dessalées du pont
    d'avant
La houle de nos pas
Comme ils rivaient en poupe ces allures finissantes
Voici musique d'algue et de gommiers
La mer voici la mer ferreuse qu'enlaçaient
Tant d'entassements écroulés
Tant de mots rauques à plein bord
Plus rêches que cases d'ocre
Ou que masques délités

*

La terre rouge a bu la terre rapportée
L'œuvre que nous halons est un songe de mer
Nous reconnûmes le sésame et la soierie émerveillée

*

J'ai cette terre pour dictame au matin d'un village
Où un enfant tenait forêt et déhalait rivage
Ne soyez pas les mendiants de l'Univers
L'anse du morne ici recomposée nous donne
L'émail et l'ocre des savanes d'avant temps

*

Voici ô dérivée nous nous levons de bonne houle
Tu es nouvelle dans l'humus qui t'a hélée
Une grotte a ouvert pour nous sa parenté
D'île en cratère c'est éclat de lames, bleuité
Encore et brûlis de l'eau d'un mancenillier
Je prends ma terre pour laver les vieilles plaies
D'un creux de saumure empêtré d'aveux
Mais si lourds à porter ô si lourds ô palétuviers

Tracées

GLOSE

À-tous-maux. Mon frère l'initié le planta devant la maison, que le cyclone s'écarte, que les malheurs fondent et s'égaillent.

Bête-longue. Reconnu, à cette croisée des eaux, le sillage innommable du serpent.

Gommier. La barque haute, où le vent s'effile au couteau de la vitesse.

Mantou. Alliance de la carapace et des poils, violets. Un crabe des profondeurs.

Pacala. La plus fragile des ignames, la plus nue, venue de Guadeloupe en Martinique.

Tré. Plateau où nous offrons toute île, tout gâteau.

Yole. C'est, par nos mers, la barque basse, acharnée à rogner sur la rondeur du temps.

LÉGENDE

Ata-Eli. Dans la maison réapparue, elle s'éjouit de seize gardiens de frontière. Nous tombons en elle, oubliés.

L'Aveugle. Au coin de la Place, comme l'épieu des mots.

Les Enofis. Ce sont les Esprits qui nous protégèrent ou parfois, capricieux, se détournèrent de nous.

Le Ho-a. Mes amis, tout conte que nous chantons est un Ho-a, c'est-à-dire une roche.

Ichneumon. Le poète panse la blessure, comme, acassée sur elle-même, la mangouste aux yeux ravagés.

Laoka. On l'invente et on l'adorne de hauteurs. L'amour est ferreux, comme la forêt la mer.

Milos. D'abord il y eut le forgeron. Mais nous n'avons plus un seul métal à exaucer.

RÉEL

Mathieu. Au feu vert de la forêt, tu rencontres ton double. Tâche, si tu le peux, de ne t'arrêter pas.

Mycéa. Celle dont le poète est enchanté, qu'il nomme à chaque ventée. Mais dont les mots ne rendent compte.

Thaël. C'est donc lui qui leva ce chant baroque, intraduisible dans quelque langue — même celle qui lui donna corps — et qui tel convient à tout idiome gouvernable.

FASTES

1991

aux clairières, qui se réjouiront de telle opacité

Allouer à l'éloge une géographie souterraine, d'où les ruptures ne s'effacent pas... Rappeler voyants et demeurants, qu'ils se reconnaissent entre eux...

Mon temps s'est pris à leurs images : pays et bois qui me hélèrent, sables où j'ai erré.

Leur offrir un convenir de langage et d'obscurité, par où perdure en un tout l'imprévu de la parole : comme d'une épaille grandissant ses lunes, sur des ombres toujours sculptées.

Fastes

ASSOUAN

Des princes précieux lavent le sable sur le seuil
Un éléphant a traversé le soleil, — il est seul
La foule crie : « C'est un dieu failli ! » Ô douceur
Une enfant très gaie honore l'eau sur son visage

GÎT-LE-CŒUR

Les Destins dévalant dérivaient la table d'échecs
Le hanap du vainqueur n'est ores dans Paris, alas.
C'est une bille, c'est comme Roche, nous emmêlions
La Tarentule avec l'An-deux, la vie, l'Ange à Tobie

MALENDURE

L'Odeur de campêche aux griffures des mains
Langue d'hibiscus, près de tomber en beau safran.
Parole de mangouste a couru tourbes et tourments.
Le lasso de la route étouffe l'affre d'un gommier

DEUX-CHOUX

Les rocs l'en-nuit les boues pas un ciel pas de trace
L'amande fauve qui épie, c'est bête-longue à flanc
Dans le magma où nous tombons toutes les mers venues
Les désastres les morts la turbulence le charroi

LUCQUES

Sacrifions l'olive aux rosaces du puits
Bonheur à la couleuvre épiée du chemin !
Et qu'à l'ocre, au chardon
Faille des errants la pierre foudroyée

MORNE DES ESSES

D'un vif la maison a quitté l'abîme du morne
La voix qui tremble envahit le vent descendant
Une passante accourt au séisme, elle crie
Des innocents jouent sous l'auvent des fougères

MURAILLE

Maigre-fièvre des champs couronnait la dernière roche
Au delà, toute Mongolie court d'épine à brousse
La venelle en ciel a frayé ce boucan d'appâts
Qui te guette de lune et t'épure brûlant

LONGITUDES

« J'enseignai, nul n'en dit, à naviguer au Lusitain
« Venant fous de Malmö, de Fez et de Valladolid.
« Notre idiome, c'est castillan prononcé par un Dène roux.
« Je suis irlandais et berbère, comme on accore ses genoux »

ERFOUD

Un rocher tendre pleut en poussière
Du jeune feuillage il vient des midis !
Que la nuit n'égare – du phare qui tremble
Au cœur des fossiles – sa jetée de sables

1962

Et combien de tourments pour un soleil qui tonne
Et l'année soit un lieu et lieu devienne malédiction !
Celui qui est au loin, sa main songe, ses yeux devinent
Ce quai dévole fou aux Saintes, déparlant

GORÉE

Halez, frères, halez la plus haute tempête
Jamais nous ne viendrons à la lucarne éblouie
Nos corps ne lustreront jamais le sable noir
Quand même nous rêvons deçà la barre d'écumes

CALEBASSIER

Apocal Babsapin Totol Atiquiliq
Sonderlo Macaron Prisca Godbi l'Aimée.
Aux nombres Filacier félin dévoue son coutelas.
Ta parole a grippé gabarre, flotté là-bas

AVANT

Béance d'ouvrager l'éclat de glaces sur les haies
L'œil rare du chardon au ras des haies en givre
La poutre du grenier, prenez-y garde et vous-baissez
Les mots du meneur d'ans braisent dans l'âtre

QUÉBEC

Bond, comme en l'o d'oti ou yé
Haut et fort sur la saison finissante
Pour pousser avant, où les pôles défaillent
L'insolent cheval nouveau

CHUTES

Du plus serré du souterrain s'est assemblée l'écume
Nous nous tenons en la folie éparpillée d'éternité
Drus à nouer le lieu, l'épi, mémoires d'eau.
Quand nous nous réveillons, le soleil dort

ÉGET

Le même midi ouvre ce jardin,
Nous étions au loin
Comme aigle ou milan.
La mer en diamants

CHAPELLE SAINT-JACQUES

J'ai nommé le chanteur et son piano pour cible
Les peintres turcs le philosophe et Aucassin,
Je n'ai surpris l'ombre rôdant aux voûtes
Ni les plâtres qui s'effeuillaient du gouffre amer

BEZAUDIN

Passé les roches de rivière
Flétries loin au delà du souvenir
Un mulet cabré déhale l'oncle qui n'a pas nom
La véranda navigue, l'homme attaché crie

PUERTO LA CRUZ

Ce qui songe à fusion s'est fait flamme verdie
Rose-de-porcelaine a coudé au couchant ses trilles
Trop de clarté entre deux souches, trop d'allure
D'un ébénier à un palmiste sobre et lent

LA PALUN

« Ce mulet connaît le chemin de retour
« Selle et bride sont ma due propriété
« J'ai trop jeté de soleil mort, d'eau délavée
« Au moulin où vous guettez le Nombre d'or »

TREMITI

Une herbe a ruisselé sur la table où nous devinons
Ce cheval solitaire est un troupeau qui fêle
Des oursins gris scintillent, prisonniers de leur vœu,
Au ressaut phosphorescent de la Grotte-des-poètes

ORAN

Salah, Salah ne cherchez plus au Belvédère
Les gradins crient la rue, ce qui menace est lent
Blanc-seing ou grand-mission est inchiffrable au vent
Drapons sur ces déserts le linge, à l'ablanie

LAMBIS

L'empan a luminé parlers conques et bois
Il chavire au recel de mornes et de fonds
Le mot boucan est aussi simple qu'une eau qu'on souffre
Le tambour si tant vieux que sa rumeur éclaire

LINDOS

La terre ondule, noircit
Aux pieds du sourcier se plie
Le prophète d'images trébuche
Les palets bleus sont enfin nus

GRANDE RIVIÈRE

Par tout vent de nord ont vêlé ces rivières
D'en toute brise fut cratère où ne délisse que ce lin
L'eau prévisible est la corolle du muskeg ; au loin
La nuit creebek a tressailli du jour inuit

HABANA

De dix en vingt années la jeune fille s'émince
Ses jardins sont hélés de palmiers aveugles
À flanc du bateau noir le tir aigu des lianes
Comment revenir à ce sable, comment revenir

IGLOOLIK

Si loin dans le silence a rencontré sa main
A secoué sa main dans la glaçure des abats, des peaux
A regardé les chiens grossir entre les cordes, d'abois gelés
A rentré au sec ce qui restait de viande et de petit jour

JEUNES CAMPEMENTS

En Savane, coupez coupez l'Ardenne ébène
Son roman pathétique a consumé la faim
Zocli pété konba épi Térèse
Pou an graté kan'nari ayayaï

SKOPLJE

Augurez que je monte avant que ce vent sonne
J'ai grand mémoire d'un boulier qui ne chavire
La truite en son halage est plus que songe en fuite
Où glacier s'épelle et chaleur s'émerveille

TERRES SAINVILLE

– L'équidistance est louée de cyclones
– Les cases en chaos gagnent sur la boue juste
– Le maître de latin gît en alpaga blanc
– Une enfant déraisonne aux rebonds du canal

TEOTIHUACÀN

Sitôt l'en haut du ciel quelle mémoire veille
A beau frémir la salaison tu n'entreprends le nom
Bouches, mots familiers, pays qui se hâtent...
La descente est à rire et la photo s'éteint

ÉPICERIE BLONDEL

Tournoyant déballant hullant piments et tremblement
Les oiseaux de prière les Indiens clayés de braise
Fuyant le froid, goulant, et goûtant gueule à gueule
Au vent d'épices qui hantait l'entrée du lait

FURSTEMBERG

Où êtes-vous, qui m'acquittez de solitude
Où les partir les devenir les marcher fous
Des cayalis sommeillent au péan !
Leurs volées griffent des murs neufs, en pays dru

PLAIES

Épini, acacia, minuties d'écorce qui rame
Roche qui va son jour, bête qui sue, plume cassée
Qui font peau grise et œil de nuit et vent de malemort
Aux jambes sèches infinies comme baguette-de-vérité

IBADAN

La nuit arme son lumignon
La rumeur bleuit aux frontières
Voyez, les Ibos se laissent mourir

Je vous dédie à boire dix-mille
Si vous levez là sans trembler
Le pieu roui du prophète Congo

BANLIEUE NEIGÉE

De gare en jardin l'arpenteur décline d'aimer
Ce qu'il met en bosquet fut blanc comme un alpage
Lavez la couche, que vanité soit effacée
Cette nuit est trop lourde à laurer, ô vent

POINTE DES CHÂTEAUX

L'eau de la glace a pris au marbre de l'écorce
Où le vent met sa touffe et pousse en feux tremblants
Ce qui est fixe s'est vanté en la mer, a mué la roche
Comme l'enfant brasse un manioc en ces écumes fracassé

VERNAZZA

La déferlante a lu les plus hauts rocs
Noyés nous nous changeons trois fois en même nuit
Les barques sur la Place font soleil et vestibule
En haut, la Tour du commandeur soudain s'est tue

BATON ROUGE

Ils m'attendent, là-bas où la pluie est ouverte
Et l'encre en son registre a scellé rien qu'un pleur
Ils m'attendent, le plat-d'herbe exalte la hauteur
Ce sont amis que tel soleil a démunis

PONT AUTOU

Galène, rose-croix ou chaux qui vire
Dans la minuit une lumière s'est défendue de cris
Chevaux et guêpes font grand place à l'écriture
Au bain du val, honneur ! un sentier dévore son ombre

DJOBEUR

« J'ai ma population de milans qui paressent
« Les koudmins font attache et les migans s'essoufflent
« Les tchololos et les goumins pèlent à raides ruches
« Les golbos les laghias et les coucounes triomphant »

LIEU-DIT

Écorce à l'encan au terreau marin
Voix qui traverse et plante un arbre sourd
La roche rouge, l'épervier, l'eau du volcan
Qui tourbillonne au Lamentin dans les palétuviers

RABAT

Le vent en goule aboyait au métal
Son soleil blanc n'a ravines ni plaies
Tout l'après-midi une feuille s'est tenue
Terrée, à mi-rang de falaise

NORMAN

De lune en nulle part en nul amer pollen
Vent d'Estonie, arbre d'antan, et vin d'érable, pur
Au cil où le ciel vrille une marée s'affaire
N'osant que sel et vœu de mer, n'allant que murs

ROUTE DE L'UNION

Avec vous le Xamana au meilleur de sa parole
Une larme à huit ans couvre en secret la voix
C'est silence sur la chanson que vous apprivoisiez
C'est le visage d'un frère éclaté sans supplication

LÉZARDE

Sangsues ! qui font courir un cri sous l'eau jaunie
Le crépi de sirène éclabousse, jaillit
Ô ! trop d'herbe-para envahit la mémoire
L'antan prenait fanal en tant de ramiers morts

ROWAN OAK

Nous celons en vos ais notre déroute de tout le jour
Vous nous avez élus aux stalles gardées de fourmis
Il y avait des pommes de pin parmi les feuilles grasses
Enfin, nous osons tutoyer la tombe récalcitrante

PLUS VRAI QUE JOUR

À Pétersbourg, une minuit, c'était en neige sans surplis
Les réverbères se mouraient ; à leur détour
Un attelage a fui du temps passé. Revient la Dame.
Un mendiant l'insultait, qu'une rose adorait

LA PART PERMANENTE

Je te renvoie cette apostrophe d'un aigrefin
Qui interpelle : « Cet orage fuira-t-il en nègre fin ? »
La réponse est : « Qu'à tout brouet convient l'envers
« À tout rêve sa foule, aux cent-années les cent breuvages »

GAVARNIE

Trente chevaux passent à gué nous éblouissent
La branche cassée inaugure un théâtre d'eau
Nous sommes contents de jouer foule et peuple
Quand nous descendons, un flambeau en tête

L'INNOMMÉ

Les yeux en gale les yeux
Brûlent autour de vous
La mort en parchemin
Crayonne les os un à un

RUE LÉONCE-BAYARDIN

C'est malsonger, dit-elle, je n'ai battu nul vent
Si ce n'est en mangrove où les pieds vagabondent
Ma mère, vous jetiez sur cette errance une eau d'effroi
Les dalots bâillent leur mémoire, loin dans la nuit

LES VIGNEAUX

Une étoile ralliait l'archipel comme cachiman
Nos îles sur les murs sèment leurs siècles convenus
À voix haute, pour une fois, le jardin paresse
Seule la longue-vue confie aux écumes son ciel

CATHÉDRALE DE SEL

Furent tus les mots que livra l'architrave
En nappe ta parole irrigue, tend
La profondeur résume sous la main
Les splendeurs du vrai, folles, nidifiées

KINSKOF

Écoutez dans l'assaut l'embrun rance des rues d'en-bas
Nous a heurtés, nous refoulait, nous faisait peur en mort
À tout sommet gouffrent des roches que vent n'arrête
Cueillons l'ailleurs, méditons l'an, ouvrons le froid

CAIPIRINHA

Non plus as-tu surpris le venin dans le suc
Ni le boulet qui fit commerce avec les fonds verdis
Non plus le sang qui s'enfuyait à passes courtes
Sur ce sable qu'avive la déclive du vezou

ANGLE DES VILLES

Le train, bâillonné de linges brûlants.
Ces lataniers, ce drap des morts, ce jour
Où ne pouvant qu'on en finisse avec l'an et la feuille
Nous demeurons, dans l'écart sacré de Tokyoto

PANAREA

Nos jours sont balancés de salures qui nombrent
La mer dans la main, les feux sur les hauts
Et les nuits ! Ô les nuits. Elles épellent à vif
Le râle du volcan, seul récit brisé

CAULAINCOURT

Qu'était à la fenêtre et qui rimait l'émail
Qu'était la faim, surnaturée ? Qu'était l'ormier
La beauté vieillissait en manière d'écaille
Palettes et fumets gravissaient le sixième ban

CARGÈSE

Ceux qui s'en sont allés dînent de mauvais cœur
Septembre est mort depuis deux lunes sur ta main
Roche de mer est accrochée au bateau impossible
Le poète féru de fruits se détourne de l'Atala

PROMÉTHÉE

Près d'un banian blessé nous dédierons au conteur
Sa parole cassée marquait l'ombre sur trois lagons
Il disait il disait : « Mon cœur ne tient qu'à un fracas. »
Les convives damaient l'eau de son cri en renommée

CHAVIN

Le dieu se noie ! Les boues naviguent au souterrain
Le dieu darde son front aux stèles que l'on pille
Un maïs monte horizontal, à flanc de roche il flue.
Meurt la matrice, la pluie s'esseule.

DRAGON

De loin de si loin du plus secret depuis l'an neuf
Éphémère, votif, et qui scille aux habillements
Qui songe, éclôt, s'enroule aux rets des lourds tableaux
Et me joue en répons un songe né d'Amiens

Péan

PÉAN

À nos festins de mer les Amériques jouent palabre
Récits pays et villes font fibrille de ce cri !
Qui tend les bras, il sent la mer vanner sur l'autre bord
Où épaisseur d'âge et jeune mangle s'interpellent.

QUATRE-CHEMINS

Fleuves, vous dérivez de succulence à équité !
Le vieux manger loue connivence avec le basilic
Aux sables vous jetiez, sans voir, le migrant nu.
La trace de ses dieux vague en lui comme un lai !

LES GRANDS CHAOS

1993

Bayou

Au large du Meschacebé, Père des Eaux. Le paysage, horizontal à vertige, qui suit le cours de la rivière Atchafalaya. Il rencontre celui, obstiné en hauts et abîmes, qui en Martinique va de Balata au Mont Pelé, par la route de la Tracée. Approche d'un temps primordial, terre et eaux mêlées, où le rythme de la voix est élémentaire : Ici, battu de huit cadences. Tout se fond en cette mer et cette terre : Mythologies, la nuit africaine, le Vésuve imaginé, les caribous du Nord. L'écho-monde parle indistinctement. Le langage de l'Île promet de s'accorder avec celui du continent, la parole archipélique avec la dense prose étalée. Un chant désarticulé en roches raides, sur la trace qui mène du conte au poème. Ainsi : « Boutou », bâton de mort, instrument de commandeur. « Grand-dégorgé », Caraïbe qui s'est jeté avec les siens du haut de la falaise, refusant Habitation... Les lis s'enmeurent, pourrissement fertile, par la grâce des dieux disparus. Mémoire de cette eau. Saisissement des avenues.

Que renaissent les lis sauvages
Renaissent les dieux en amont
Vrais dieux, vraies hordes, les Saturne
Ogoun, les sirènes, les lis

La mer sagace est entrée là
Elle a plani surface, elle a
Fêlé aux broussailles son val
Égalé souffrance et frontal

Ce qui reste de jour s'enferme
Dans un bord d'eau sous un vantail
Un homme y joute à ce travail
En parentale décimée

Les mousses-tain étaient d'Espagne
Et de Pérou la mer si proche
Attendez que s'y marque l'an
Sur une rose qui ne vèle

Quel, augure de mélaisser
La rumeur qui tarit là-bas

Au nœud de branche où prend l'ennui
Recroquevillé lentement

La hottée de lentisques va
De Chaussée en Golfe, le jour
A mis son eau dans la nuit claire
Et s'y mire de nuit sérère

Tout penche au silence et régale
À l'indécis des Vésuviers
Un caribou que vent n'achève
Un frais de houx qui ne dévire

Quel, augure de délacer
Le nid où sont nassés les mots
Turbulence tourbe nouées
Dans une faille qui chavire

Où vont les aptes Maléfices
Qui courent les sèves en fruit
Où, les embrassures de terre
Les embruns d'air déraisonné

N'attendez que défaille à cru
Aux idées qui tombent des Ombres
Cela qui pousse loin devant
La paille en or au clairin dur

Il n'y faut qu'un étal de larmes
Lis sauvage ou horde en haut mont
Ne faut qu'alarme et faute bise
Et que la rame lame au fond

Tombe et lève rien qu'une auto
Qui navigue en un pays fou
Il y mesure l'eau des mots
À l'ouvrage de vos glouglous

Et revient à cadence frèle
Au risque ardent de ses matins
Les cohées y fuient en dérade
Et s'y meurtrirent les oiseaux

*

Ras du sel de mai, *cayali*
Qui scellait étoile en midi
Sa voyance est de plume folle
Il s'est noyé dans un mécrit

D'ombre, bois durci, *sucrier*
Nom de cri plus que de doux-mis
À tous chemins inachevés
Nous avons garé son dédit

Ortolan, dont on dit le rythme
Zortolan zortolan bénis
Leur nuage a péri, leur vent
A tourné en mévent maudit

Nous crions : C'est un bout de terre
Sur un Vaisseau de paradis,
Pipiri, touffe qui s'achève
Où s'effarent les hauts de nuit

Frégate ah frégate, navire
Qui n'est yole ni gommier bleu

Tu ne poses plume en corolle
Plus jamais sur les chadrons gris

*

Oiseaux zouézo gibiers partis
Où sont allés les tire-d'ailes
Flambants, messagers, tourterelles
Tant de souffles y ont tari

D'alors jusqu'à dorénavant
La feuille en la boue ruisselle
La racine d'eau fait liane
À l'arbre dont l'île est le fruit

Venait aux hâles de la gamme
Qu'avaient chantée les xamanas
La terre n'osait poser rame
À fond de l'Atchafalaya

Dieux perdus, qui cherchez travail
À séparer terres et nues
Quand l'eau hue au gras du feuillage
Sa rumeur jaune, sa massue

De la branche pend l'Ennemi
Recroquevillé sourdement
Nord et sud se sont immolés
Dans son mauve crucifiement

Mots d'île mots de continent
Broussaillaient ce même chemin
Un pseudo saule vient lambin
Causer un lent tamarinier

Cela qui est horizontal
Plus que savane démarrée
Plus que noce qui se défait
Monte aux trois pattes d'un cheval

*

Bélès Boutous Mont-à-Missié
Assuré pas peut-êtrement
Falaise à vent, Grand dégorgé
Rache-fale qui prend balan

*

Bélè, bel air et beau serment
Du poème qui tourne à conte
Et dont le rythme ne mécompte
La prose plate du marais

Fale, falaise des aisselles
Que sueurs ravinent d'autant
Nous ne sommes sûrs que de vent
De bâton, ne frayons que laisse

Frayons mots que nous dérivons
En huit tambours de long antan
Mots qui font qu'homme bêche en boue
Et que pays souque patience

La mer remonte à tant d'enfance
Elle a pleuré sa face elle a
Tracé brousses dans Bezaudin
Équarri sable et vases fous

Fusent les dieux loueurs de houes
Étales noyés au chemin
Qui crochaient les palétuviers
Aux épyphites du bayou

Et que meurent les lis sauvages
Sous les ramiers de Balata,
La Tracée mêle en son nuage
L'eau qui piète aux boucans d'en-bas.

Les Grands Chaos

à Sylvie.

Pas loin de Seine, sur l'aire mélancolique de la Place Furstemberg et du marché de Buci à Paris, les mages de détresse que sont les sans-abri, tombés de l'horizon. N'infliger aucun romantisme à leur dénuement, mais concevoir qu'ils manifestent le monde. On les désigne ici, où ils tâchent de marauder avec quelque efficace. Partout une hantise de légumes et de mangeaille. Ceux qu'Histoire a débattus et jetés là. Mais aussi la parole déroulée de leur errance. Ils détournent la raison suffisante de ces langages dont ils usent, et c'est par des contraires de l'ode ou de l'harmonie : des désodes. Ils comprennent d'instinct le chaos-monde. Même quand ils affectent, jusqu'à la parodie, les mots de l'Autre. Leurs dialogues sont d'allégorie. Folles préciosités, science non sue, idiomes baroques de ces Grands Chaos. Venus de partout, ils décentrent le connu. Errants et offensés, ils enseignent. Quelles voix débattent là, qui annoncent toutes les langues qu'il se pourra ?

Des mages vont, qui mâchent d'herbe et de soja...

Aux trés surit la hâte de six mangues mélaissées
Elles ont, ban aveugle, en leur firmament mis
Les désastres les morts la turbulence le charroi
De Terre qui surgit en ses criées.

Comme savon lassé de tourner dans sa parenté
Un pan d'écume en ces dalots a fait mémoire
Quand les pavés vaquent aux bancs qu'ils ont nommés.

Avons luné nos fourniments
Imaginé que nous ondoie, levé à la voirie ardente
Quel soleil, qui n'osait en la fosse d'aucune igname ?

Ô non donnés, ô improbables, lacs.

De Bonaparte à la chaumée des Augustins,
Tel dit : « Ce sont bagnards ! » Ils disent : « C'est la terre
« Qui rassemble sa houle aux établis d'ici. »
Et beaucoup ont damé les Îles,
Beaucoup l'exténuement.

Un qui rameute un lot de souffrance en maraude
S'en fait cabane caye couche,
S'abandonne à l'amas que vous lui faites, ruches !
Quand vous lassez vos eulogies devant sa bouche.

Conteur il traîne barque en vos chaudières
Coupeur de canne en Malendure il a sommé
Une épluchure et trois fonds d'eau à la Fontaine.
Puis il navigue en Orient.

Ces rèles de néant,
L'étendue s'y exerce en très boueuse transparence,
Ces songe-vent
Qui établissent leur encoin au frais de l'air,
Leur mémoire est laurée d'un franc de plume, ces dorés
Bas de mur, où n'est que pousse ni perdure nul agrume.

Comme d'ivoire non tannée,
Comme une houe épée...

Celui qui foule dans l'absence, a mû douce équité
Un coui en calebasse une carafe égratignée
Celui qui monte à la criée du Morne, gire en mer
Celui par qui tout a viré

Ont-ils enfreint l'étrave où gît en houle une frégate
Ont-ils uni la pierre au couteau qui ténue l'éclate
Ou bien leurs corps n'auront pas crû cette distance,
Ni engorgé le Conte où la bête a rêvé pitance ?

Ou n'ont-ils pas déserré de leurs ouragans
N'étant rois ni prenant-pour-cible
N'ayant face puînée, sabots ni cabestans,
N'arguant pas même d'une fouace...

L'heure déjà s'est éparpillée.
Un essaim un regain, d'ores que vente l'inaperçu.
Tant de fadeur à ces paupières tant d'émoi
Lassées du seul fardeau de la seule affamée pensée.
Cela qui vient n'est d'aube que pour vous, lassés.

Les vieux tréteaux ont balayé verdures
L'eau des profonds ressasse l'eau qui égoutte du toit
Jusqu'en son antre à contrecoup lavé.

Déjà les vieux ennuis ont détroussé leur linge
L'épaille épaisse a pris en mots
S'enroule Histoire, tourne émeute !
Ô désolés.

Je ne prendrai pas fer pour vous ni ne courrai la meute !
Mais son genou courtise au gras dalot un cresson bleu
Et il assemble un lot de mots et fait leçon
À une courge, nue d'être blette
Et dit : « Par où vient l'eau, ici la fête.
« Où le licou, y va la bête... »

Entendant la parole cassée.

DÉSODE

Un qui fomente en Furstemberg, où l'équité nous plaît,
deux bancs en propice balance.
Oublié sur sa baie, ou lié à ce banc, — déraciné le banc
même,
Qui, lacéré de hardes, crie ses rhades
— Se revenge de ce mourir.

Mourant naissant, où s'est vantée sa voix, — qu'elle se
hâte
À mémoire d'en-bas, quand les profonds fluent l'eau,
Qui haussent en soufres, née de chaudron,
— Il ranime ce glas gelé.

Un qui défaut mendiance nouvelle, exécration à toute chose
osée, disant
« Qui parle en pluie a tant à semer... » — Ah ! Que vaille
Le glas d'église, ras de source à souffle de cyclone allé,
— Casse le ban, défont le rythme !

Passant, n'ayez que de chaos
Vous déhumiez la chair des mots
N'y laissant mie que les os...

Comme une épée épée.

« J'élis en ce dalot, je ne tends main qu'à vos discords. Mon malheur n'y afflue, ce n'est l'effraie du monde. La goulée de désert ni la mémoire bombardée.

« Les bonheurs entassés froncent pitance et sens. Les Halles rudement convergent, j'y épie le sang. Mon malheur n'effraie plus, quand le penser d'égout a joint la mort échevelée. »

Dans la moire lasse, rue de l'Abbaye,
Il chiffre nuit et fait écluse de sa voix.

Ce souffle maigre du poème qui déhoule
En l'eau-de-rivière où sa face aux profonds a bu...

Le Passant dit : « C'est un savant ! Ou bien c'est un zombi,
« Mais non pas fou, » — il consulte d'impurs oignons,
Il gage sa mémoire en cette prophétie, les pieds
Gelés de torches qui épaillent, de trognons démis.

Il a — ténébrant le rythme ! — dénommé les Grands Chaos
Femmes-aubier, hommes-selon, les damiers, les Pilles
Feintes venues mourir aux Petits-pavés, sur la Place.
Ce sont les Rhamnès tus de votre populace ! Ô sucs

Sucs noirs
Des noirs lauriers échevelés.

Les Grands Chaos sont sur la Place ! Ainsi les Cafres
Les Bectres les Pelées les Cinabres les Maronis
Astrides et Saramacas, Bonis, Gens de Gros-Morne
Austrasiens fous, les sept hivernants d'Éget, les Marrons
Des vieux nuages d'Australie,
Nomades en banquise et vélants de toute Éthiopie
Seule silenciée, à vos genoux désassemblée.

Les Grands Chaos s'en sont venus. Un qui engendre
son silence
En Pluie de sable et décommence, à Paracas, l'affre du
dieu qui quatre fois refit le monde.
Il est habile à imiter, soutient vertu de redondance :
dès qu'il s'agit d'Opéra-bouffe !
Il déclame : « Femme qui chante. Et un homme qui
lui répond ! »
Et il invoque : « Ah je mange, ah je mange, » et il
brille
En la Déée des Eaux, la Yemanja, née sur la Mort,
Qui fit combat contre l'Anaconda.

Cette autre-ci ne s'est levée d'Amazonie, n'a lustré en aucun chardon.

Entendez la soucousse que vrillent en la rosée ses chevilles sans bandelette.
Elle a soufflé dans trop d'espace d'Orient, trop de stupeur a bu sa face,
N'entendez de lui ravir au front ce lis scellé d'un feu de cassolette,
Trop de houle, – son cri. Trop de béant, – sa race.

Et c'est une algue seulement qui lui procure date et longtemps lui fait don.

DIALOGUE DES GRANDS CHAOS

— *Remarquez-vous combien d'engeance à la ronde nous envisage ?*

— *C'est que nous avons faim, nous sentons soif. Qui donne mine intelligente.*

— *Mais avez-vous noté comme les gens intelligents ne parlent pas quand ils mangent ?*

— *Ho ! Je suis bien aise et content. Je n'ai plus un crédit vaillant.*

— *Grand Boutique ai-je en mon pays, de soiheries*
De primes modes à saison, foies de triton, gelées,
Fruit de la grappe en marmelée, laits de caprine crus
Et chères venaisons. J'ai grand Boutique en mon pays !
Quarante Malmaisons en mon pays de clouteries.

ET AUTRE DIALOGUE HUÉ

Passant, ô tautologue, qui passez
En Histoire qui mue fourrage à ce Marché
Qui marché n'avouez à qui ne vous ragoûte
Qui le goût de vos mots n'épicez à criée
Qu'un cri, hormis l'accent de vous, n'a dévoyé
Ô Répétiteur,
Voyez la horde où nous met votre été.

Comme une houe qui n'a houé.

Lors Cestui-ci a hanté sa besace, aux quatre branles de
l'église
Et Buci vague à tous mitans de la Touffaille. Il brode :
« Srise »
Pour cerise, et sentencie : « Eût-il fallu que j'aille, ou
y allasse ? »
Aux crabes feint, défaits, neuve dévotion
En faux marché risque sa main,
« Sont-ce là des calimordants ? »

Sont-ce paluds et ronces, basses noces,
Désapparus de tant de vans maudits
Mots ponce, mots poussier que vent n'exauce,
Faillis ! Sont-ce ravines, souffles nus
Où nous milons la graine, où détirer
Midi plus lourd que vent d'avant ? Serait-ce
Le tir ailé en sa cervelle mis
Où vent est van, gésine, feu d'osier
Crabe miré en son calimordant
Qui grippe en main et détoure le temps ?
« Sont-ce ? Sont-ce ? » – fait-il, en son idiome d'écorché.

Loueurs d'étals des vieux lundis déserts de suie,
L'oint qui les brûle n'a laissé d'écailles ni de moût,
L'eau des profonds a joint l'eau dure de l'évidence
Et s'est crêtée d'un roux de raisins morts.

Hommes de peu de pluie !
Ils sont la foule à matité qui bout,
L'horizon qui ne danse
Et la Cour qui au conte dort.

Ils soutiennent récitation de leurs défaites,
Langage pour l'esquive, et lot de mots pour l'élémi
Et autre langue aussi
Pour la très vieille Connaissance réapparue,
Et parole mésestimée pour dévirer dans l'avenir.

Ils ont leur parler mis en très punique dialecte
Ils crient flambance non connue – ainsi de lui – pour dire
Un mantou scrupuleux qui erre au loin d'une sangsue
Rance. Un vonvon qui trie des ciels chiqués de nues.
Un flamboyant. S'élance. Un vezou redondant. Et lui,

En Furstemberg où le matin avance
D'un chaud de frêne et d'un frais glycéria,
Effleurant à l'anse où glue un empois,
« Est-ce des Îles ?... » chante-t-il. – Ce sont amont

Mages qui vont, mâchant l'argile de leurs doigts.

L'œil dérobé

à Jean-Jacques Lebel,
nilotique.

PRÉSENTATION

*Le Nil, fleuve du temps. Leçon du temple de Kom-Ombo,
où on estime au mieux cette chirurgie calée dans la pierre,
désignant ses instruments et son rituel, qui servit à restituer
au dieu Horus son œil, non moins rituellement énucléé par
un autre dieu. Images de l'œil qui marche, ou qui verse un
pleur en sillage. Le langage de l'eau n'est perçu qu'en écho,
dru comme feuille d'étain. Les cartouches de pierre livrent
leur matière secrète. Les relents de mots, que le visiteur
recueille ou profère, s'entassent en réels lointains : C'est
l'acoma, l'arbre de majesté de la forêt tropicale ; ou c'est le
laghia, danse antillaise en forme de combat, qui révèle
l'accord et l'écart. Les deux langages s'évadent l'un de l'autre,
l'un deviné en cette navigation, l'autre qui naît à peine à
l'ordre du poème. Une écluse sans eau bloque à vif la dérive
vers le Delta. Mais dans l'assomption des nouvelles du monde,
les deux paysages, le nilotique et l'insulaire au loin, se
touchent et se comprennent. Ichneumon et Laoka s'accordent
à nouveau, pour célébrer le regard recomposé du dieu.*

Les nouvelles de Lune n'ont pas enfreint les hypostyles
et la poussière de nos pieds à peine empreint le sable...

Au détour du vent ce ressaut d'aller !
Fougère enfoulée de cris, paraissant et mourant...
Un esprit s'acharne à sa voile qui se dérobe,
    un homme accroupi purifie ses mains en un geste
d'imploration,
    — le fleuve songe, ses chemins nous hèlent dans le
passage.

« Mon corps aimé mon corps aimé, » dicte la lune à
son ombre ballée de bleu,
    « donnez que le pèlerin se nourrisse de feu en oblique, »
le poème a bridé les chairs
hier allouées en crue nilique
et qui portaient limon au cœur.

L'œil dérobé vient à méfait !
Le laps des ans nous a paru d'éternité,
il n'est de tant de mots qu'amas dénudé, fol.

La déclive des mots glisse si simple qu'en la houlure des palmiers,
une eau à quoi nous ne goûtons, et nous l'épuisons toute,
par la soif qui en nous dérobe ses tombes,
par l'aile avide des ibis, et par la salure des voiles...

Et des mille de dieux vagabondent pour nous au monde,
quand l'eau des rives monte à peine,
à peine descend dans l'enfance...

Fut dit l'ibis. Viennent là-bas les oiseaux bleus d'Assouan !
Furent dits ces Nils, où nos bagages gréent des sébiles de sable...

Au chemin qui navigue est un clos où des rus s'enlacent,
l'esprit qui veille est un danseur, soûl de ses mains lassées.

Les nouvelles du monde à l'infini ont frappé la pierre !

Passé la puissante colonne, leur lumière a loué nos fronts
posant l'abeille-aux-pattes-liquides sur le roseau désenlacé.

Ce langage qui fume, ici nous y passons, comme l'acier rauque est noyé d'échos !

Comme l'écho chevauche le rai métallique et qui
tremble.
— L'arbre trahi couvre d'un miel sacré sa racine.

Ainsi le jet à la distance rallie la roche...

En feux de bronze il flaire sur l'eau, désigne la halte
nous reposons dans l'immobile du fruit, nous balbu-
tions
    une enfant nous visite, les joues noires d'une suppli-
cation inlassée.

    « Mon corps aimé mon corps aimé, » soupire l'aube de
la barque, « enseigne-leur
    l'encens du mimosas, l'odeur d'encre, » la lance d'un
regard fichée
        au feu d'un potier boiteux.

Maintenant c'est la nuit, l'étape a posé sa ruche dans
le silence.
    Une étoile dessine à l'aquavive son vieux rêve.
    Des tessons brûlent à demi.

Repartons ! En route ! — ¡Vaya ! — Et tous ces parlers
qui cordent la poussière !

    L'œil dérobé nous a suivis, où l'eau dormait en son
givre :
    l'ordre des mots ne distrait pas le monde.

Il est un lieu où flûte de pâtre ose sa transparence
(la boue a fait chanfrein des cheveux, dépoli le souffle,)
    rien n'y lève aux dalles sacrées, hors ce qui est admis
à vénération
    poètes et conteurs y font exprès d'oblitérer la page ou
de taire l'acclamation,
    pour nous la palme y a décliné sa mâchoire, pour moi
l'éternité glauque.

À gueules d'un palmier, haussés de sang, qui hampe
de vent la voûte
    le bourg élève son rempart qui nous dévoue salutation
    un homme avoue perdre ses dents, pourrir en sable,
comme le temps, une femme
    s'endort au fleuve puis se lève, Enceinte-de-la-sup-
plique !...

Entends ce lieu, où convoitise arme sa barque, vilenie
monte en chardon.
    Le rire avorté du mort a empreint la joue du vivant
    la bave sans visage erre à fond de désert, où les mirages
s'efforcent,
    tout poème s'altère et l'espace a durci son van.

C'est néant d'opposer à tant d'épineraies
À ces poètes-sis, mages sans diadème,
Au vent qui mord dans l'insulte,
À tel qui s'émince en prurits,
le sourd silence égrené de la cosse.

Oh pour cette fois l'œil a trouvé paupière.

La bête née de fable a composé
nuage, qui presse en fleuve, meurt
à l'orient de son redoublement.

Il hausse deux hayons qui sont tant d'arcs de filaos,
    deux aîtres d'infinité où plus d'un havre aura suri, et
puis
    le scarabée, au lourd midi, qui s'exhorte à briller
    en son Rai !... Sourd de ce même adoubement.

Le vent jaune a feulé sur les sables, le feu chavire :
« Ton âme
    « devient soleil !... » Le feu
    chavire aux roseaux profanés. Un homme avoue

    pousser en nuit, corps après mort, sur cette mangle où
il écrit,
    jusqu'à l'écart du cœur, comme une guêpe terrassée,
    quand la fleur rouge éclôt derrière la fatigue,
    – les herbes trébuchent dans cet éclat.

Il dit être hélé de ces inconduites d'arbres
    semées – nus – dans l'avancée de sables,
    leurs voix épellent en soufrées : « Je tisse
    « la vérité à ta lumière de soleil... » L'arbre offensé
    lors avoue des marais, tant d'îlets qui font brame, une
branche
    qui s'évente en feux déments et qui tremble.

Ô pour cette fois l'œil a raisonné son espace

le corps de terre en fièvre a roué sa cadence, il a hélé
ses mains en l'unité blessée, il échevelle toute étoile il a
pris faille pour pensée donne volcan pour fleur et fumaison
d'épines pour sentier...

Les nouvelles d'île agrippées au front,
naufrages de soleil et bouques rouges de lave,
nous y laçons nos mots si faibles à découdre,
– courant hâves le fleuve à dériver nos rades...

Qui aime est herbe folle en son vagabondage.
À rues connues et inconnues il a gagé même lignage
offrez-lui de ce mil qui fit échange avec l'éternité
conteur il a gemmé, couchez-le au fleuve qui lent
semonce,
rire de prophète est dur aux glaises de ce monde.

À la source déracinée des temps une eau exhorte cette
face,
sillonne aux orbites,
délace l'œil et le ravit, ouvre les âges les confond, mêle
les estropiés au vent salé pourvoyeur de sang, dénombre
en un dahlia tant de supplices consentis, lève au palan
des rocs tout un passé de limons gourds
(arme en poète un pilleur de troupeaux)
et coule entre les sables désolés.

Lors j'ai pris cette roche et je l'ai fait sonner.

La lumière des mots déposait nue sur la paix d'herbe
le matin plaquait à la case un feu de feuilles loin-du-
vent
le jour barré descend le morne,
touduvan, marchatouffle, mélasse à rêves, mélanésie,
tous mots de crève et de midi
aboyeurs de sang.

« Mon corps aimé, voyez la gêne où nous a mis l'été
« en ce froid qui au ras du soleil tant nous hante ! » –
Le vent
à la lune bleue conte un bel-passage.

Ce pré se met en jungle, une source force à périr
la nouvelle-en-créole à la fin a crépi son Nil...

Sillac et acoma sonnent laghia nouveau
sillac, sillage de la bête en son Avent
acoma, vieille brousse en un seul fût montée
laghia, jeune mêlée ennilée d'une éternité...

Le flamboyant, né d'orge rouge, de pudeur hautement
vanté
s'avance, estime la Gorée où nos chemins ont mis leurs
ganses
Il assemble, vieux corps levé au bleu du temps, les
mots d'eau et les mots de riz
l'arbre encense, l'hibiscus à odeur d'anis darde un
guêpier de frêles ovaisons...

Ces mots que tout en rang vous déhalez, — quels paraissent ces mots ?
Combat de danse n'émeut pas graine qui piète...

Brousses de pierres par ici confluent aux temples d'acacias là-bas, le gardeur de Plantation habite une canne maigre
sa verdeur a tourné en un guano houleux,
les nouvelles de rive auront déchu par les profonds ô Transparents.

Un parfum roux goûte au rugueux silence,
dix chameliers courent la piste, à égayer les bêtes
l'eau du tout-sable est une île oubliée...

À flanc de l'écluse qui brûle, une inspirée a dévoué plus que ses linges et ses voiles : Laoka ô Laoka ! Elle fait offrande au fleuve d'un peu d'eau, puis lève à large vent son cœur en ablution,
l'ombre des roseaux alentour éclabousse,

sur la crête un âne, quand oblongue, s'est offusqué !

Alors le conteur guette en son serment, jurant Isis qu'il redevient son Ichneumon !...

La proue de son cri lève sur la boue un lot de cimes violettes,

son destin, qui soudain s'entête au bord d'un nuage,
seul...

Ils ont loué l'eau débordée de sang
battent maison sur toute case
ils crient – c'est l'arrimage – une aigle d'eau qui en
haut vent si longtemps déraisonne
ils serrent aux cantines ce lot de fleuves :
les paroles d'au-loin qui sur leurs mains suintent, –
sur le limon du quai...

Dans l'obscur qui feint les mots courent envers
l'œil du dieu retrouvé au style gris des hypogées.

Boisées

La rivière Lézarde a perdu la trace des grands fleuves, s'est enfuie en filet sous les décombres. Ne laissant à vue que mottes de mots et gravats. Tout ainsi le poème, quand il force à tracer le pays, s'effile rêche et allusif. Il s'agit naturellement d'un pays d'île, où la mer s'insinue et s'estime. Les crabes mantou envahissent, par temps de pluie, les pistes de l'aéroport. La parole convoque les bêtes fabuleuses ou disparues : Tatous, racoons, rat pilori (espèce indigène,) le lamantin, le serpentaire, — pour dire l'en-aller des choses. L'énigme aussi de ceux qui s'en furent au loin d'eux-mêmes : faux soleyeurs, faux décideurs, parleurs de rien. La ressource est au ravage de la terre, où aucun sens n'a décidé. Ne pas craindre les obscurs. Toute voix s'entrame à l'eau, primordiale ou tristement polluée. Génératrice du poème. La rivière Lézarde a perdu trace de l'eau rouge. Les bâtisseurs l'ont damée de ciments. Mottes de mots, gravats de terre.

Ce peu de sable au bord d'aimer
S'émeut de terre. Un enfant vire
Il voit les peuples nus de nuit
Empans de mer à qui fiel gire
Villes enramées à faux bruit
Eau dévirée vent chaviré
Toujours s'enfuir au loin de lui.

*

L'en-hors dévale en cet iguane, là mépris.

N'avons couru dans la ventée
Ni aux Gorges-falaise veiné haut nos vieilles pluies.
Nous trépassons mille ans sur les côtés de l'eau.

*

Loin de cristal, emmi l'écrou
Loin de la nuit où la bête a empli la mare
Tatous, racoons et les Astres tus
Par cet où qu'on ne nomme, où capeyait
Le Fui.

*

Rat de cale a chassé rat pilori, d'un bien long temps.

En boue de boue mais sur la boue haut demeurant.
Pour un seul mot d'antan qui ne remonte le courant.

*

La fabuleuse mélopée (les étoiles les étoiles !) de fumée
sans étai ni bord
  Loin de nous savant qui ne divague ni ne rue,
  Bien loin de nous qui prétend à fonction et glose.

Branchage. Dévolée racine.

*

Lamantin, où mirer le soufre à midi
Serpentaire qui dévoue message aux fonds
Dans une danse tant oubliée, glauques rêvés,
De chaînes, de boulets, – clouée en mer.

*

Ce soleil ment, ce soleil ment ! Il chet en crues
D'œuvrer sa mort si brève, là fouir
Un charbon bleu, de feux moisi.
Soleil et nous, même contraint.

*

Y vivons mourante faim
Y périssons folle main
Enfouis au pli que font
Rais de nuit en orbes mise,
Voix après voix dénombrés
Nous tarissons la chaulée.

*

De vent que rêve terre que la terre a labouré s'aille le
sens où il se prend
   Non clair doux sens où licoter le temps, non plus que
terre où à malheur s'entend
   Non plus intrus de mer, n'aille que terre où l'eau de
sel aura strié son feu,
   Mais cette terre pis que vœu, qui se répand dans sa
poussière...
   Rêvée sommée, où ne se raille ni la soif ni l'assoiffé
   Idée de terre que peu de vent aura meublée, assolement
   Qu'on nomme pour quitter beauté à malheur née,
   En ce ravage où toute nuit s'épart
   Et sur ta hard d'aller aura vanté sa part.

*

Tous fleuves meurent à leur gouffre,
Barrage y grée, poison y mousse,
Et meurt la Lézarde en sa lisse.

Au vertige défunt des ébéniers pourtant
Pas une main qui ne frémisse d'un antan, noyé.

*

Eux, pâles d'implorer la glaise où servent les Régnants.
Sursautent, blanchissant à craie sur leur œillet.
Décident. Distribuent. Taillent la terre allée.
Hèlent qu'en leur main a crispé ce poing.
Qu'Autre là ne vient.

*

Je ne dis pas pour toi ni pour nos yeux sans face ni
mémoire ni
Pour délaurer sèves à vif
Mais pour ajours courant demain à tant
D'antans en feu.

*

Ce cri, plus sévère qu'un nœud d'agaves au versant.

*

L'ocre de terre n'a lové, son parler n'a brûlé le temps.

Ils rachent des mots, qu'en bouche, cendre et moût, ils choient.

Ils dépouillent cela qui crie de leur dormir, qu'ils nomment van.

Ils ne voient cet Ambage fluer d'eux, lointains banians.

*

L'eau charroie l'eau qui coule en l'eau
Il y usure l'an des mots
À mesure de vos galops
Étant là tout un peuple, *nu*
Source prenant aux fonds verdis
Qui avons toutes chaises vu
Et clamons à l'enfant parti.

L'eau du volcan

pour Apocal

Le fleuve et la rivière que voici sont en profonds. Ils roulent et fouillent, de laves enfouies en salines à vif. Depuis l'entraille du volcan, au nord du pays de Martinique, jusqu'aux sables du sud, par les chemins enterrés des mangles et des cohées. Descente aux connaissances. Géographie souterraine, qui donne force à l'étendue du monde. Ne pas craindre les profondeurs. On y voit passer les personnages d'un mythe sans fonds, Ata-Eli, les Enofis, qui gardent secret. Le driveur suit un nuage, par traces et fonds, soutenu du vent, sans désemparer. On dit qu'il est fou... Quand le voyageur se réveille d'un tel fleuve, la lave vient en sable aux plages sans marée. Émergence de la parole, tout au sud de l'imaginaire. Elle déroule et oriente.

Faille, surgie d'un roc...

*

Le poète descend, sans guide ni palan, sans rive ni sextant ni clameur demeurant
Et l'empreint de volcan l'ouvre d'une eau de sable.

Il descendit, le feu courant gelait en lui, sans aspes ni douleur
C'était douceur que cet envalement de laves parmi lui
Un arbre, un arbre qui se croit, gravissait en cette coulée
Faisait présage au vent d'un gros de roches qui brûlaient.

Et les marchés de rimes coloniales, d'arum sans goût, de blanc piment, et les crachées d'où nous aura grandi néant, l'espoir aussi l'espoir têtu comme migan,
Tout avec lui couvait tombait dans la Pelée.

Il descendit aux bas de la Rivière Blanche, il vit qu'elle était rouge.

Elle était rouge comme rêve déventé.

La trace prenait fond au cratère du Mont. Pas une roche ne lochait.

Le nuage, le nuage-même, tournant à vœu, dérobait l'entrave

Il y venait des camélias, des fleurements de balata

Il marcha dans l'envers de terre, ses talons passés pardevant

Ainsi que dit le conte : Qu'il inventait midi avant matin chantant.

Il tombait dans l'envers de sa vérité, au travers d'un pont, et le pont

Flambant courait l'abîme

De haut sans souci à bas qui divague.

L'envers de vérité lui dit : « Cette rivière a sonné blanche quand elle ajoute à la Lézarde

« À Jonction, où une bête-longue a fait triangle avec l'eau les bambous. »

Il dit : « Cela est vrai. J'ai vu son âme triangulaire en proue. Elle a passé au loin de nous, soigneusement.

« Traçant sa mire dans l'eau ridée. »

Il respira dans l'eau la semblance de la Noire Aimée
Pour ce qu'à simuler nous encontrons réalité
N'allant si c'était terre ou tout-douce mélancolie
Ou si c'est roche désolée sur l'incendie ?

« Je t'ai nommée, de champ nouveau, temps de vezou
et batterie
« Enflamme du bateau où nous avons si long mûri, je
t'ai nommée
« Passage, où j'ai ravi au vent sa palme, à la mémoire
son semblant
« À l'eau son goût d'avant et j'ai scellé ton simulacre
et j'ai
« En l'odeur pâle de ton nom, Ata-Eli, désassemblé
« La rive qui ne va, l'eau qui ne porte, où tu m'auras
nommé. »

Ou si, dans ce boucan de flammes, feux et rageries,
C'était flammes qui rient d'avoir toujours semblance
en lui ?

De même miroir arrima cette prophétie
Des bougres dérivés du plus haut de ce temps passé.

Ceux-là qui rassemblaient marmaille loin de case, ils
barricadaient le silence
D'un feu de feuilles amolies, tout comme à gens meur-
tris, puis ils dressaient un réchaud d'eau
En mitan de la case, ils récitaient sur l'eau
Les malédictions enfoulées, un linge enferrait leur tête,
les enfants
Songeaient que c'était fièvre, douleur et cataplasme,
c'était
De citer vers les fonds l'en-vérité crouie, la douleur
sans mémoire...

De même mémoire arrima le cri
Du conte prophète et du vent qui dit.

Il descendit. Un pur bourreau passait au fil de l'eau sa hache son ciseau
Et nouait terre de Mali à l'Ande écartelée.
Il le salue. Brandons de lune, haillons de laves, trouent le soc. Des villes
Surgissent, filaos candélabrés de feu. Des mille
De dieux sans nom quêtent l'emblave du poème.

Tenait le pont une halée de Justes. Lui dirent : « Nous ne saurions, en tant d'obscurité. Quel est ce vent ? Où, ce balan ? Quoi, cette opacité ? »

Il les quitta. Il descendit.
Une Ombre là en grand temps s'effarait.

— « Quoi mon Colomb, » dit-il, « encore une fois rameuter ta folie, encore une fois ?

« Nous le savons que tu reviens chaque cinq-cent cinquante-cinq ans

    « Par marée des profonds qui s'émet de volcan à plage,

    « Plus épais que cendre de roche qui tourne à sel

    « Tu es éternel plus que souffrance démarrée nous le savons. »

— « Ô Stupéfait. Mes yeux tourmentés m'ont jeté

    « Vers où l'infinité ne souffre plus mesure ni cadran,

    « Ni plus ni loin, ni pour l'Indien roui ni pour l'Infant

    « Dont on soutient la main quand il scelle les Ordonnances.

    « J'ai souvenance n'avoir jamais armé les lourds poissons rampants

    « Ni désolé leur antre d'un lourd d'Africains blets

    « À peine eus-je tanné un tant de mille d'Arawaks

    « Quand il en fut nécessité. Ô Stupéfait, voyez

    « Les morts d'antan, que pèsent-ils aux morts d'hier ?

    « Que font boussole et carte aux machines qui voient de nuit,

« La main huant daguaie à doigt qui presse le bouton ?
« Et si tremblé-je d'un feu louvant
« Est-ce de même vérité ? »

Or, négligeant réponse et reprenant veillée
Il retint à long temps un driveur pénitent,
De ceux qui prennent en nuage boussole carte lourds
sextants.

Il vint à un Plateau
Où ne poussait ni bas ni haut.

Il fouilla Morne et sables morts. Et sous le sable, morts
Vaquaient les mots, tortus d'être vacants. Il enta les mots
D'encan de treize langues se tramant
Dans l'Unité blessée.

La mort est d'unité
Où ne se blessent
Que vains sables rapportés.

L'écho montant criait : « Ne foulez plus d'exclamation.
Finissez d'avec la houlure. » L'écho descendant, ah ! déhalait son double, qui ainsi criait.
« Il est des mots qui brûlent en leur lieu, ils ne servent
qu'à une fois.
« Ils ne paraissent à métier ni à beauté d'usage,
« Et n'est de langue pour pays, où tous langages s'émerveillent
« L'ordre des mots distrait le monde... »

Il descendit dans la houlée du bois.

Dans la houlée lèvent les Veilles.

Ceux qui sonnent musique à ventée nue et exposée.
Ceux qui encore joutent en Joux. Celles qui nomment les
nuits de case en l'Élysée. Tous ceux qui vont, à cheveux
peints déracinés. Goûteurs de boudin grêle ou de gras qui
vacille. Ceux qu'on charge à boulets pour les profonds
verdis. Ceux dont le jarret fume et cille. Les éventées à
qui roucou ne vaut. Qui mangent de terre et mènent cette
armée.

Il entreprend la strophe dure où n'est vanté
Ni l'ample du verset ni la douceur de l'acclamée
Mais vents y coulent, chutent houles.
Raideurs des mains et nues acclamations.

Le feu boulait au Lamentin, où une jeune fille a tâté du pied sous la mangle.

Elle a connu l'eau de volcan, dans l'eau glacée de la cohée.

Un tambour gras battait le sang, faisait lever salures d'ans,

Hélant de chaud en froid et de froid en vœu qu'on étrangle.

Une jeune fille initiée.

Lui dirent : « T'acquittons de nuit. De vent. D'obs-
curité.
« Consentons que tu vailles de profonds à étendue.
« Que tracée aille par nos corps, morts enlavés
« De Pelée à Cohée à Diamant désoccupé... »

Alors il me fit signe de marcher dans le pays. Mais
tout enfant je ne pouvais
Suivre dans l'eau de feu les Enofis qui le suivaient.

Famines d'eau ! Et rauques cécités des assoiffés.
Ils disent : « C'est la terre, la chiennée, la bien tarie
« Qui ravaude sa houle au désordre de l'eau. »

Cette mangue a crié son feu fané sur l'ais du tré.

Mécréants que sulfurent les typhons que vous tonnez
Enfants asséchés en tant de matins
Femme qui va, un chevreau mort au sein.

Il voit comme a brui dans tout ce cri un lent pays de
sable, et comme cette barque a navigué sur nos marronnes
agonies
Et comme nous halons dedans nos mains un peu de
cette pluie, d'où nous advient boue à talent et blanche
félonie et comme
Ô sabliers, le poussement de vos Pelées nous a brûlés.

Laves. Sévies de feu, d'eau alenties.

Et a surgi Celui qui manque au sable et court à l'erre du Tout-monde.

« Que viens-tu là, ô Bas-Terrien ? » L'eau du Canal gouffrait aux vergers de Liban.

L'antre du Mont roulait cabane en l'Anse.

« Aller grand prose de leur cri dont s'est hulée la Pointe-à-Pitre. Convier ramage aux Îles, pluie aux errés, bleue patience ! Et toute lie à vif. »

Et toute vie à vif, au vieux cyclone de l'année !.. Il monte en mer, il a piété... Il a noué gorge de mont à foulard piètre... Et cette idée qui va tonnant le fiel et le courant jauni... Comme semence de chadron !... Comme lait de bécune en folie !... Jusqu'à hausser, où joue la roche avec le rouge des maïs, la baille d'eau qui fut nacrée d'un lourd de mots, tout à veille de la Tracée...

*

Failles, qui surgissez.

NOTE

Bécune, chadron, mantou, vonvon sont des espèces de la faune antillaise.

Le bel-air est une danse ordonnée, qui trace des figures sur l'aire du bal.

Bezaudin est un Morne de Martinique, reconnu pour la qualité de ses conteurs et de ses tambouyeurs.

Cayali, flambant, frégate, messager, ortolan, pipiri, sucrier : Oiseaux comme disparus de nos paysages.

Laghia. Les créolistes recommandent d'écrire : Ladja, qui à mon sens trop béniment caresse.

Mabi est pour le boire, *migan* pour le manger. Mais un *manjé-kouli* est une cérémonie religieuse hindoue, en pays caraïbe.

Connaissance en réel abîme.

ÉDOUARD GLISSANT

Écrivain antillais né à Sainte-Marie (Martinique) en 1928. Il reçoit le prix Renaudot en 1958 pour son roman *La Lézarde*. Il fonde la revue *Acoma* et dirige le *Courrier de l'UNESCO* de 1982 à 1988. Il formule et développe des concepts qui ont fait autorité, parmi lesquels : l'antillanité, la créolisation, l'identité-relation, le Tout-Monde. Les poétiques de l'oral-écrit, et plus généralement du Chaos-Monde, caractérisent l'ensemble de son œuvre.

Édouard Glissant est décédé le 3 février 2011 à Paris.

PRINCIPAUX OUVRAGES

Aux Éditions Gallimard

Poésie

POÈMES COMPLETS : *Le sang rivé – Un champ d'îles – La terre inquiète – Les Indes – Le sel noir – Boises – Pays rêvé, pays réel – Fastes – Les Grands chaos, 1994.*

Essais

SOLEIL DE LA CONSCIENCE *(Poétique I), 1955.*

L'INTENTION POÉTIQUE *(Poétique II), 1969.*

LE DISCOURS ANTILLAIS, *1981 (dans « Folio essais »).*

POÉTIQUE DE LA RELATION *(Poétique III), prix Roger Caillois 1991.*

INTRODUCTION À LA POÉTIQUE DU DIVERS, *1996.*

FAULKNER, MISSISSIPPI, *1996 (dans « Folio essais »).*

TRAITÉ DU TOUT-MONDE *(Poétique IV), 1997.*

LA COHÉE DU LAMENTIN *(Poétique V), 2005.*

UNE NOUVELLE RÉGION DU MONDE *(Esthétique I), 2006.*

MÉMOIRES DES ESCLAVAGES (Gallimard/Documentation française), *2007*.

LES ENTRETIENS DE BATON ROUGE, avec Alexandre Leupin, *2008*.

PHILOSOPHIE DE LA RELATION *(Poésie en étendue)*, *2009*.

L'IMAGINAIRE DES LANGUES, entretiens avec Lise Gauvin, *2010*.

Théâtre

MONSIEUR TOUSSAINT, *1961*.

LE MONDE INCRÉÉ, *2000*.

Romans

LA LÉZARDE, *prix Renaudot 1958*.

LE QUATRIÈME SIÈCLE, *prix Charles Veillon 1965 (repris dans « L'Imaginaire »)*.

MALEMORT, *1975*.

LA CASE DU COMMANDEUR, *1981*.

MAHAGONY, *1986*.

TOUT-MONDE, *1993 (repris dans « Folio »)*.

SARTORIUS. Le Roman des Batoutos, *1999*.

ORMEROD, *2003*.

Aux Éditions Galaade

L'INTRAITABLE BEAUTÉ DU MONDE : ADRESSE À BARACK OBAMA, avec Patrick Chamoiseau, *2009*.

(éd.) LA TERRE, LE FEU, L'EAU ET LES VENTS : UNE ANTHOLOGIE POÉTIQUE DU TOUT-MONDE, *2010*.

LES GRANDS CHAOS
1993

DU MÊME AUTEUR

DERNIÈRES PARUTIONS

Ce volume,
le trois cent quarante-septième
de la collection Poésie,
a été reproduit et achevé d'imprimer sur les presses
de CPI Bussière à Saint-Amand (Cher),
le 1ᵉʳ mars 2011.
Dépôt légal : mars 2011.
1ᵉʳ dépôt légal dans la collection : avril 2000.
Numéro d'imprimeur : 110608/1.
ISBN 978-2-07-041446-8./Imprimé en France.

183849